Para mis maestros,
con gratitud
DR

Published by Jumping Cow Press
P.O. Box 2732
Briarcliff Manor, NY 10510

ISBN 13: 978-0-9980010-8-1
ISBN 10: 0-9980010-8-2

First Paperback Edition
June 2020

Printed in China

Las vacas no pueden
hacer burbujas...

Cows can't blow bubbles...

Cows Can't Blow Bubbles

Las vacas no pueden hacer burbujas

por Dave Reisman
Ilustraciones de Jason A. Maas

JumpingCowPress.com

JUMPING COW PRESS

...pero pueden formar charcos.
...but they can drip puddles.

Los pavo reales no pueden formar charcos...

Peacocks can't drip puddles...

...pero pueden desplegar
sus abanicos.

...but they can flare fans.

Los cisnes no pueden
desplegar sus abanicos...
Swans can't flare fans...

...pero pueden formar
corazones al bailar.

...but they can dance
into hearts.

Los peces globo no pueden
formar corazones al bailar...
Pufferfish can't dance
into hearts...

...pero pueden dibujar círculos.
...but they can design circles.

Las ballenas belugas
no pueden dibujar círculos...

Beluga whales
can't design circles...

...pero pueden exhalar anillos.
...but they can exhale rings.

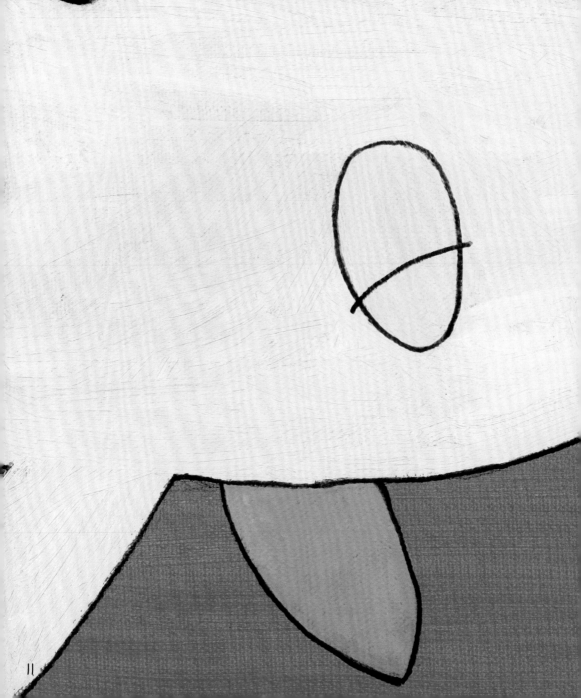

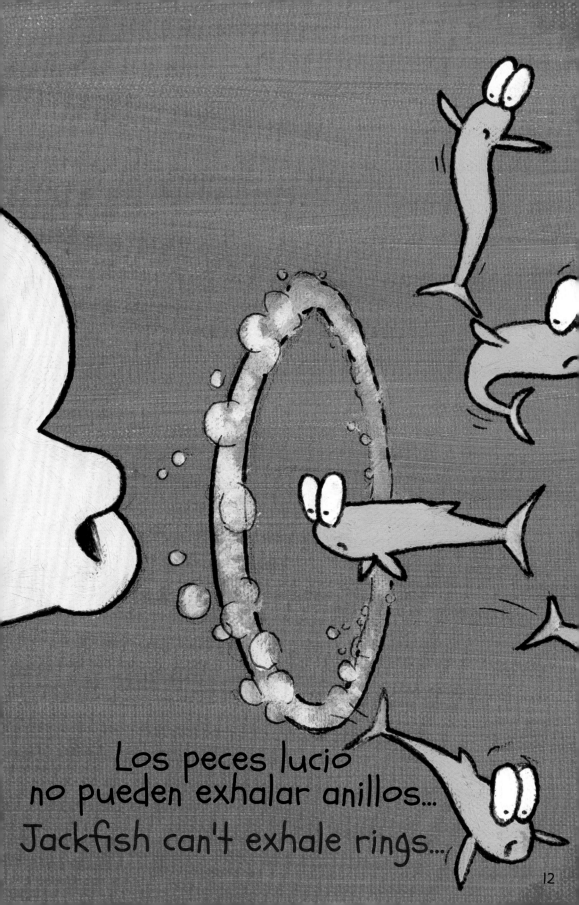

Los peces lucio
no pueden exhalar anillos...
Jackfish can't exhale rings...

...pero pueden generar remolinos.
...but they can spawn tornadoes.

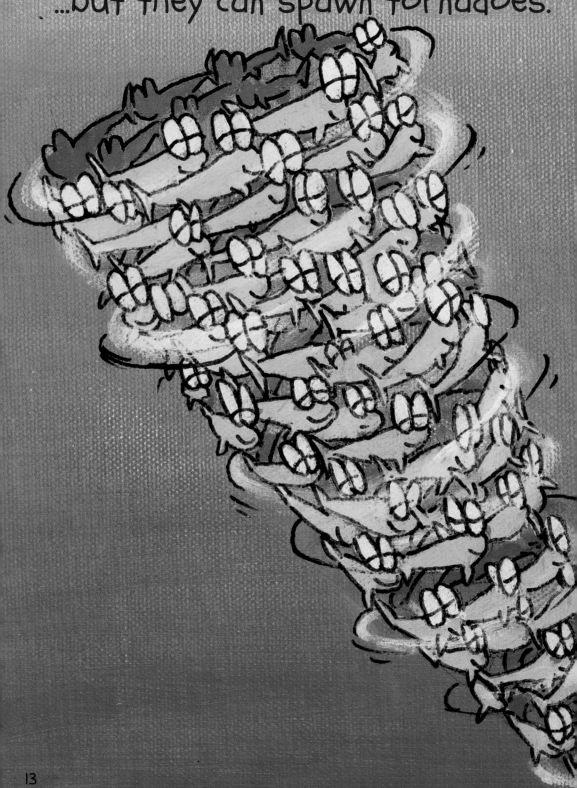

Los pelícanos no pueden
generar remolinos...
Pelicans can't spawn tornadoes...

14

...pero pueden volar
en forma de V.

...but they can
migrate
in a V.

Los búfalos de agua no
pueden volar en forma de V...

Water buffaloes can't
migrate in a V...

...pero pueden formar una S con la cola.

...but they can swish an S.

Los mosquitos
no pueden formar
una S con la cola...

Gnats can't swish
an S...

...pero pueden hacer un enjambre
como una nube.

...but they can swarm in clouds.

Los cangrejos no pueden hacer
un enjambre como una nube...
Crayfish can't swarm
in clouds...

...pero pueden construir chimeneas.
...but they can erect chimneys.

...pero pueden caminar en fila.
...but they can walk a line.

Los albatros no pueden
caminar en fila...
Albatrosses can't walk a line...

24

...pero pueden formar
una media luna.

...but they can flap an M.

...pero pueden
esculpir
hexágonos.

...but they can
sculpt hexagons.

Los gecos
no pueden
esculpir
hexágonos...

Geckos can't
sculpt
hexagons...

...pero pueden formar
una media luna.

...but they can curl crescents.

Las tuzas no pueden formar
una media luna...

Gophers can't curl crescents...

...pero pueden hacer montículos.

...but they can pile mounds.

Los leopardos no pueden hacer montículos...

Leopards can't pile mounds...

...pero pueden estirarse
en forma de triángulo.
...but they can stretch
into triangles.

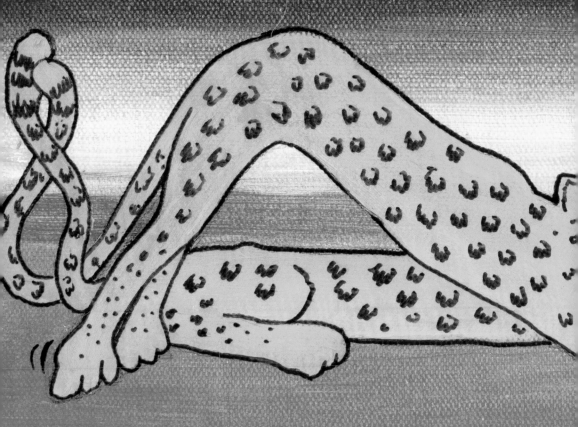

Las luciérnagas no
pueden estirarse en
forma de triángulo...

Fireflies can't stretch
into triangles...

...pero pueden destellar
como puntos de luz.
...but they can flash dots.

Las ovejas no pueden
destellar como puntos de luz...
Sheep can't flash dots...

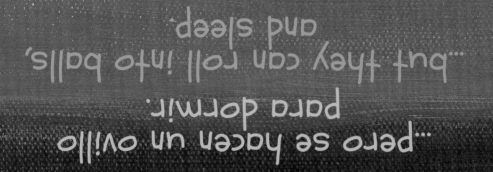

...pero se hacen un ovillo
para dormir.

...but they can roll into balls,
and sleep.

Available in Paperback, Stubby & Stout™
and eBook Formats

www.jumpingcowpress.com

Visit the Jumping Cow Press website for our shop,
free printable learning resources and more!

Disponibles en tapa blanda, tapa dura
y en formato digital

www.jumpingcowpress.com

¡Visite el sitio web de Jumping Cow Press para
conocer nuestra tienda, imprimir recursos de
aprendizaje gratis y más!